JN403250

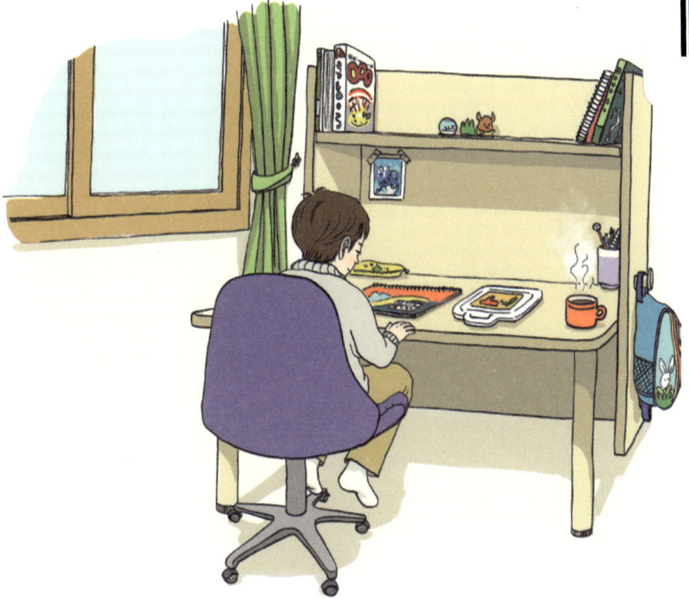

크레파스가 있어요.

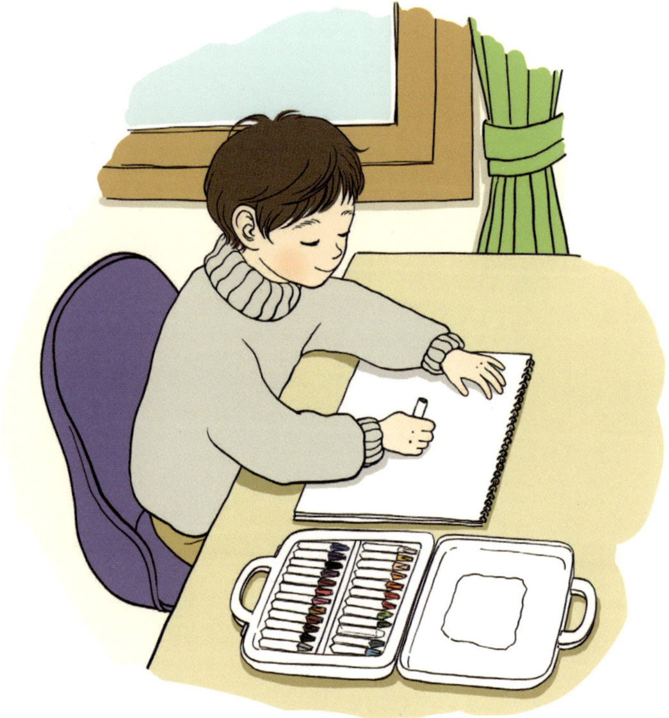

크레파스로 그림을 그려요.

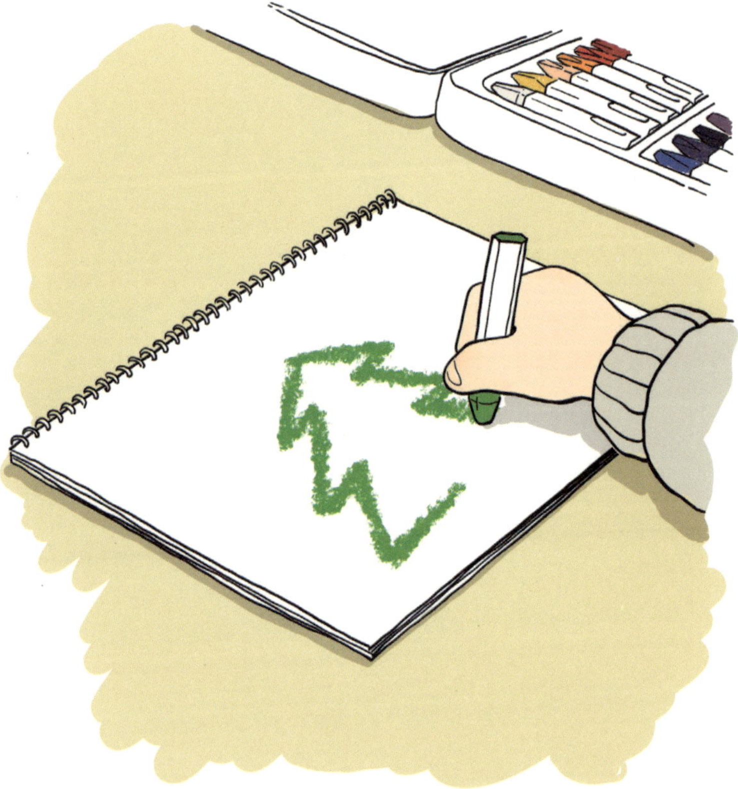

초록 크레파스로 그려요.

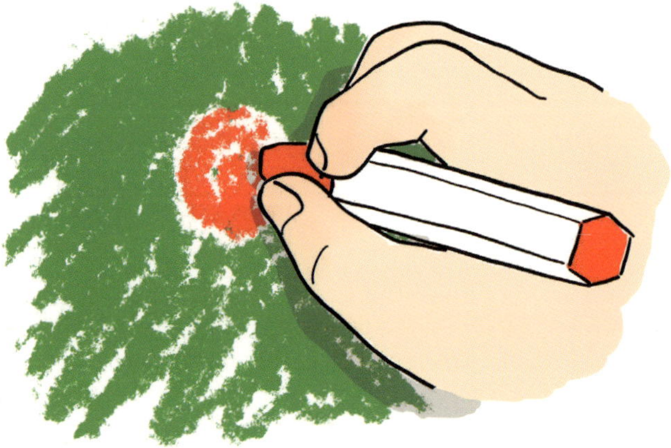

빨간 크레파스로 그려요.

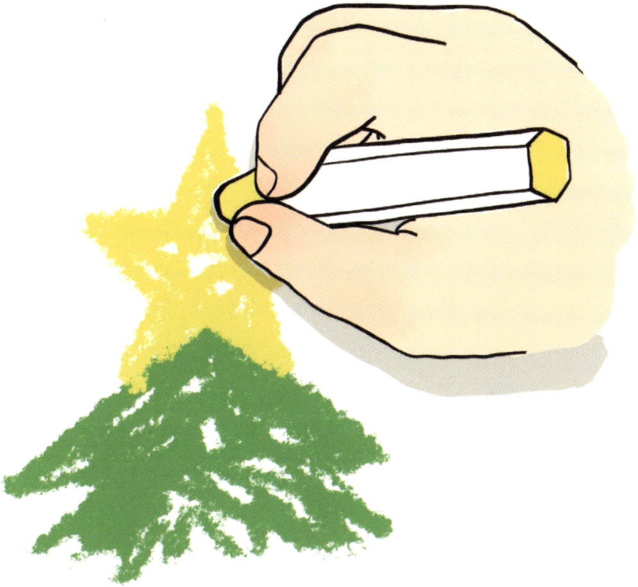

노란 크레파스로 그려요.

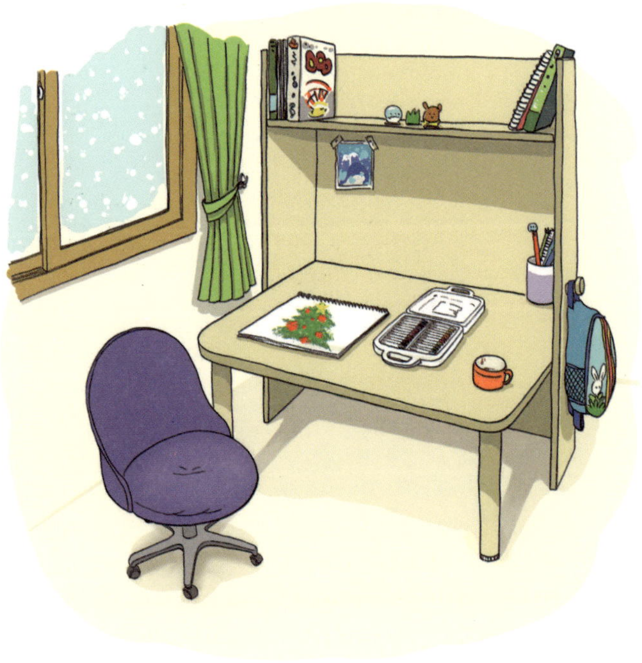

무슨 그림일까요?